D1288646

Quatre autres histoires de Billy
à l'école des loisirs :

Haut les pattes !

Le bison

Cheval Fou

La fête de Billy

Loi numéro 49 956 du 16 juillet 1949 sur les publications
destinées à la jeunesse : octobre 2015
Dépôt légal : octobre 2015
Imprimé en France par GCI à Chambray-lès-Tours
ISBN 978-2-211-10969-7

Catharina Valckx

Billy et le gros dur

l'école des loisirs
11, rue de Sèvres, Paris 6e

« Pourquoi fais-tu cette tête, papa ? » demande Billy un matin.
« Parce qu'un bandit s'est installé à côté de chez nous »,
répond son père. « Un bandit de la plus basse espèce.
Un type qui vole les pauvres. »
« Tu vas le chasser ? » demande Billy.
« J'aimerais bien », grogne son père. « Mais c'est un gros dur.
Il ne se laissera pas chasser par un hamster. »

Un peu plus tard, Billy va trouver son ami Jean-Claude, le ver de terre.
« Jean-Claude, tu es au courant !? Un gros dur s'est installé à côté de chez nous ! J'aimerais bien voir à quoi il ressemble, pas toi ? »
« Si », dit Jean-Claude. « Attends, je viens avec toi. »

« Il habite dans cette maison ? » demande Jean-Claude.
« Oui. Cachons-nous », dit Billy. « Il va nous voir. »

«Regarde», chuchote Billy, «c'est lui...
un blaireau. Papa dit qu'il s'appelle Bretzel.»
«Bretzel...» répète Jean-Claude.
«Qu'est-ce qu'il a l'air méchant!»
«Suivons-le en cachette», propose Billy.

Bretzel va droit au terrier de la famille lapin,
où il entre sans frapper.

Peu après, il ressort avec un gros sac de carottes.

Vite, Billy et Jean-Claude vont voir les lapins.
La famille est toute désemparée. Maman lapin est en larmes.
« Le blaireau nous a volé toutes nos provisions ! Qu'est-ce qu'on va donner à manger aux enfants ? Ils vont mourir de faim… »

« Ne pleurez pas, madame lapin », dit Billy,
« nous allons vous les rapporter, vos carottes. »
« Hein ? Quoi ? » Jean-Claude ouvre des grands yeux.
« Comment on va faire ? »
« Euh… ben, on va trouver un moyen », dit Billy.

Billy a un plan. Le soir venu, il dit bonne nuit à son père, mais il ne va pas se coucher. Il retourne avec Jean-Claude derrière la maison de Bretzel.
« Les bandits sortent souvent la nuit », dit Billy.
« Ah ! Ça y est, le voilà ! »

« Écoute, Jean-Claude, voilà le plan : toi, tu fais le guet, et moi j'entre dans la maison pour chercher les carottes. » « Je fais le guet ? » Jean-Claude ne comprend pas. « Oui, tu surveilles. Tu siffles si tu vois Bretzel revenir. » « Ah oui, d'accord », dit Jean-Claude. « Mais ne me laisse pas tout seul trop longtemps. »

Billy saute par la fenêtre et il atterrit… sur le sac de carottes.
« Ah, très bien », se dit-il. « Pas besoin de les chercher. »
« Hé ! Le hamster ! »
Billy sursaute. D'où vient cette voix ?!!

C'est un oiseau !
« Tu veux bien me libérer, s'il te plaît ? » demande l'oiseau.
Billy n'hésite pas. Bien sûr qu'il veut bien le libérer.
« Tu es gentil. Je te remercie », dit l'oiseau.
« Comment tu t'appelles ? » demande Billy.
« Je m'appelle Poko. »

« Enfin ! » soupire Jean-Claude. « Qu'est-ce que tu fabriquais ?! »
« Il fallait que je libère Poko », explique Billy.
« Je peux rester avec vous ? » demande Poko d'une petite voix.
« J'ai peur tout seul dans le noir. »
« Moi aussi, j'ai un peu peur », avoue Jean-Claude.
« Toi aussi ! » s'exclame Billy. « Ah là là. Eh bien, venez avec moi à la maison, alors. J'irai rapporter les carottes aux lapins demain matin. »

Sans bruit, Billy fait monter ses amis dans sa chambre.
« Ça va ? Je peux éteindre ? Vous n'avez plus peur ? »
« Si, un peu », dit Poko. « Je me demande ce qu'il va faire, Bretzel, quand il verra que je ne suis plus là. »

« Oups, c'est vrai ça ! » dit Jean-Claude. « Qu'est-ce qu'il va faire ? Il n'a peur de personne ! »
« Sauf des fantômes », dit Poko. « Il a peur des fantômes parce qu'on ne peut pas leur tirer dessus. »
« Ah oui ? » Billy éteint la lumière. « Bretzel a peur des fantômes ? Hum… tiens, tiens… c'est intéressant… »

Le lendemain, les enfants sont réveillés par la grosse voix de Bretzel. Il hurle : « Où sont mes carottes !? Et mon perroquet !? Les traces mènent ici ! »
« Je ne vois pas de quoi vous parlez », dit le père de Billy, sèchement.

Mais Bretzel ne l'écoute pas. Il le pousse de côté
et s'engouffre dans la maison. Juste à ce moment-là,
Jean-Claude, qui allait se cacher, descend les escaliers.

« Viens par ici, toi », rugit Bretzel.
« Où tu vas, avec ton petit air innocent ?
Tu vas me dire où sont mes carottes,
sinon je te mange tout cru ! »
« Au secourgh… ! » suffoque Jean-Claude.

Bretzel secoue Jean-Claude comme un vieux chiffon,
quand soudain un fantôme plane vers lui du haut de l'escalier.
Un deuxième descend les marches, et gronde d'une voix
caverneuse : « Brrretzel ! Lâche notre ami ou je te poursuivrai
partout où tu iras ! Ouhouhou ! »
Bretzel veut crier mais sa gorge est coincée.
« Va-t'en ! » dit le fantôme, « et ne reviens plus jamais ! »

Terrifié, Bretzel court chez lui aussi vite qu'il le peut, et plie bagage.
C'est décidé, il retourne chez sa vieille maman, à la ferme.
Billy explique tout à son père. Les carottes, Poko et les fantômes.
« Vous êtes fous », dit son père. « Tout ça aurait pu très mal se terminer. »
Et il ajoute, avec un sourire jusqu'aux oreilles : « Mais je suis trop content pour me fâcher ! Ha ! Ha ! Regardez ce gros Bretzel courir !
Nous allons fêter ça. Je vais faire griller des noisettes. »
« Oui, chouette ! » s'exclame Billy. « J'invite les lapins. »
« Et moi je vais chercher mon petit frère », dit Jean-Claude.

Les lapins sont tout émus et soulagés de retrouver leurs carottes.
Le père de Billy est d'excellente humeur, et tout le monde se régale.

Soudain, Poko déclare, les yeux brillants : « Je suis si heureux d'être libre et d'être avec vous. Je vais vous chanter quelque chose. »

Malheureusement, la voix de Poko est aiguë
comme une perceuse électrique.
« Poko, arrête de chanter !! » s'écrie Billy.
« Tu nous casses les oreilles ! »
« Et tu fais peur à Didier ! » gronde Jean-Claude.

« Vous n'aimez pas quand je chante ? » s'étonne Poko.
« C'est-à-dire que… non », dit Billy.
« Refren fufô une oifette, Foko », dit Jean-Claude, la bouche pleine.
« Oui », dit son petit frère, « comme moif ! »